Una lección de pérdida y duelo

Una lección de pérdida y duelo

Por **Ann Cater**

Ilustrado por **Joy Taylor**

Traducido por **María E. Vives**

Este libro está dedicado
a mis maestros más jóvenes.
Espero que continúen creciendo
en valentía y sabiduría.

Publicado por Argyle Fox Publishing | argylefoxpublishing.com
ISBN 978-1-953259-36-3 (Pasta blanda)
ISBN 978-1-953259-35-6 (Pasta dura)

Hace mucho tiempo, Charlotte y su hermanito, James, pasaron cinco días con GiGi y Pop Pop Peter.

¡Cada día estuvo lleno de aventuras nuevas!

Durante el segundo día, GiGi les dió una noticia emocionante.

—Vamos al zoológico! —dijo ella.

Charlotte y James brincaron de la alegría. A ellos les encantaba el Zoológico de Chattanooga.

Después del desayuno, GiGi les lleno sus mochilas con suficiente agua y galletas de animales para todo el día.

Charlotte empacó su botella de agua favorita. Tenía una etiqueta con su nombre en la parte de enfrente. Ella llevaba su botella de agua a todas partes.

La visita empezó como de costumbre. Ellos pasaron junto al Camello Chewbacca, quien estaba siendo ensillado para darles a los niños un paseo alrededor del cercado.

Cuando no están mirando gente, los gibones se mecen muy alto en las cuerdas que se cruzaban sobre su patio.

Charlotte y James pasearon por el hábitat de los chimpancés, donde los chimpancés estaban relajados cerca de la pared de cristal y miraban curiosos a un grupo de personas que también los estaba mirando.

Los pavos reales se pavoneaban seguros de sí mismos, con sus colas emplumadas, largas y coloridas arrastrándose por el suelo.

—Yo sé que los pavos reales no están en una jaula. —dijo Charlotte.

GiGi se sonrió. —¿Y por qué será? —preguntó GiGi.

—Les gusta vivir en el zoológico. —dijo Charlotte.
—Les gusta tanto que no se van volando.

Una grulla coronada africana bailaba, saltaba y encorvaba la cabeza. Revoloteaba sus alas y subía y bajaba su cabeza como si estuviese de acuerdo con Charlotte.

A la vuelta de la esquina, James señaló a las tres jirafas del zoológico. Ellas galoparon fuera de su corral nocturno hacia el campo de hierba, mientras el guardián mantenía la puerta abierta.

El Cuervo Cow-Caw y el Señor Búho Sabio se encaramaron dentro de sus jaulas altas y circulares. El Señor Sabio se sentó muy quieto, tratando de descansar luego de una noche larga de estar mirando. Ignoró a Cow-Cow el cual estaba revoloteando.

—GiGi, —dijo Charlotte. —¡Cow-Cow nos está mirando!

Cow-Cow ladeó su cabeza y estudió a Charlotte y a James.

—Creo que le gustas. —dijo GiGi.

Charlotte estaba bastante segura de que GiGi tenía la razón.

A Cow-Cow si le gustaba Charlotte. También le gustaba su botella de agua con una banda rosada.

—Eso, —Caw-Caw cantó —sería una decoración muy buena para mi nido.

Charlotte se rió. Abrió su botella de agua y tomó un sorbo. Luego ella, James y GiGi se despidieron de Cow-Cow y de Señor Sabio.

Ya casi eran las 12 del mediodía y el sol estaba muy alto en el cielo. Charlotte tenía calor y sed. Trató de alcanzar su botella de agua, pero—

—¡Está perdida! —dijo Charlotte. —Mi botella de agua no está.

Charlotte, James y GiGi buscaron en sus bultos y en el suelo. No pudieron encontrar la botella de agua por ningún lado.

—Tiene que estar en algún lado. —dijo GiGi.

—Volvamos al zoológico. Estoy segura de que la vamos a encontrar.

GiGi, James y Charlotte empezaron por el corral de las cabras, adonde ellos comieron su merienda ese mismo día. La botella de agua no estaba allí.

Se dirigieron al parque de recreo que tiene las rocas de trepar. La botella de agua tampoco estaba allí.

Buscaron por arriba y por abajo pero no sirvió de nada. La botella de agua todavía seguía perdida. Charlotte quería llorar. Ella quería encontrar su botella aún más.

Así que se trepó en el tren del zoológico. Mientras el tren le daba la vuelta al zoológico, Charlotte, GiGi y James buscaban la botella de agua con banda rosada que tenía el nombre de Charlotte.

Poco a poco se corrió la voz a través del zoológico de que a Charlotte se le había perdido su botella de agua favorita. Todos los animales querían ayudar a su amiga. Los chimpancés ofrecieron usar su inteligencia aguda para encabezar el comité de búsqueda.

El camello Chewbacca se ofreció a mirar alrededor de su corral.

Los pavos reales se dispersaron en direcciones diferentes para así poder cubrir más terreno. Brincaron sobre las rocas para tener una vista mejor.

Hasta la tortuga se ofreció para ayudar.

—Pero, —dijo lentamente —no soy muy rápida. Me da mucho trabajo llegar lejos.

Usando sus brazos largos, los gibones se mecieron muy alto en las cuerdas escaneando los terrenos del zoológico.

La grulla coronada africana estiró su cuello largo lo más alto que pudo. Subió y bajó su cabeza buscando la botella de Charlotte por arriba y por abajo.

Las jirafas estiraron sus cuellos más que nunca. Giraron la cabeza de izquierda a derecha buscando hasta donde alcanzaba la vista.

Cow-Cow estaba desesperado por ayudar. Sólo había un problema. —¡Esta jaula! —cantó. —Si pudiera salir de ella, pudiese encontrar la botella de agua con mis ojos agudos. Entonces podría traerla de vuelta a mi nido. Se vería espléndida para que todos la vieran.

Los animales trabajaron juntos por horas. Exploraron cada pulgada del zoológico, brincaron sobre rocas y cercas y miraron debajo de los arbustos y rocas. Mas sin embargo no pudieron encontrar la botella de agua perdida.

Algo creció en el ojo de Charlotte. Era una lágrima grande, redonda y no se quedó allí por mucho rato. Mientras la lágrima tomaba velocidad bajando por la cara de Charlotte, James se acercó a su hermana.

Pronto iba a anochecer. Ya casi era hora de que el zoológico cerrara.

El Señor Sabio estiró sus alas y despertó. Con toda la conmoción sobre la botella de agua de Charlotte, no había dormido bien ese día.

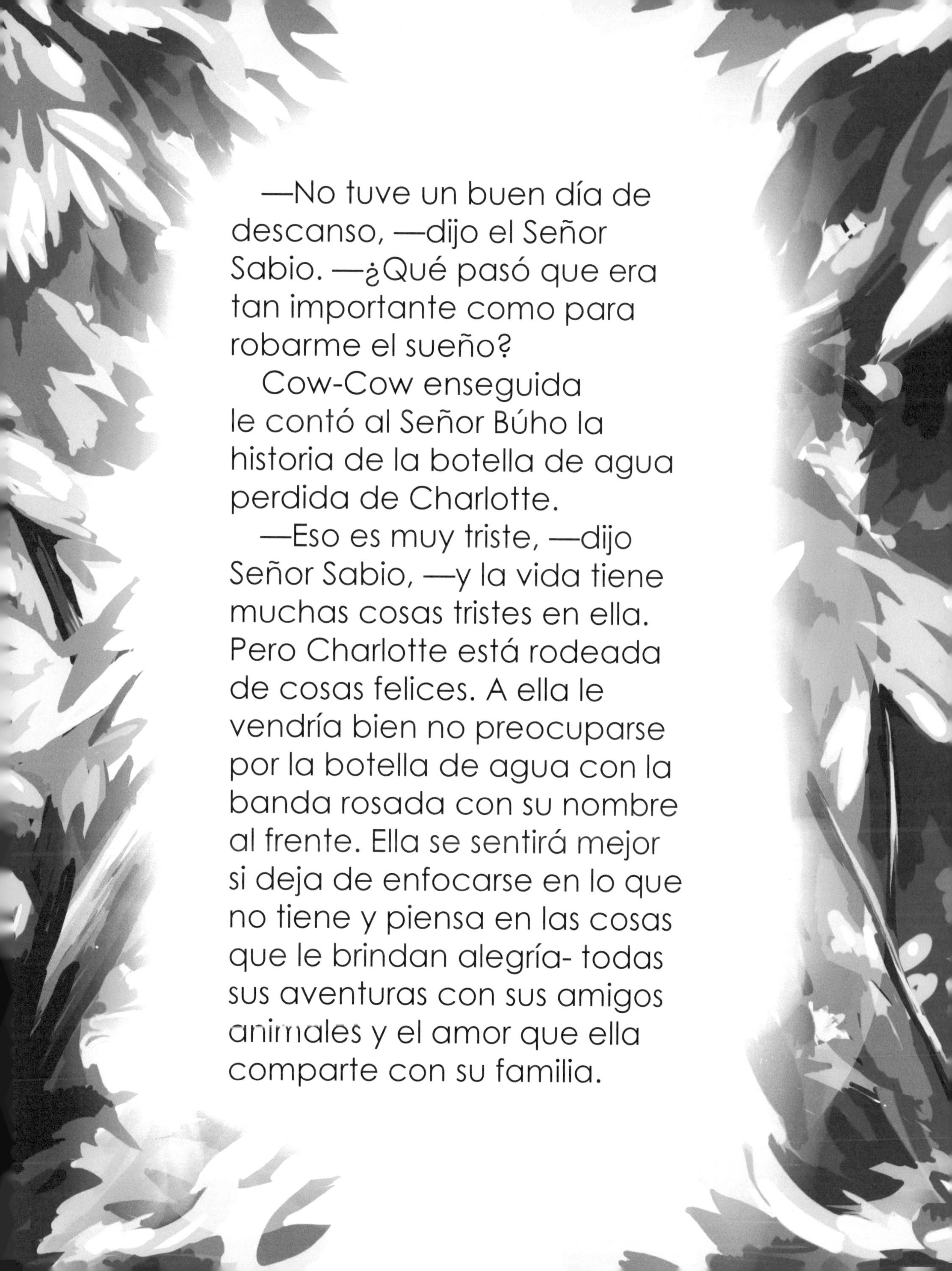

—No tuve un buen día de descanso, —dijo el Señor Sabio. —¿Qué pasó que era tan importante como para robarme el sueño?

Cow-Cow enseguida le contó al Señor Búho la historia de la botella de agua perdida de Charlotte.

—Eso es muy triste, —dijo Señor Sabio, —y la vida tiene muchas cosas tristes en ella. Pero Charlotte está rodeada de cosas felices. A ella le vendría bien no preocuparse por la botella de agua con la banda rosada con su nombre al frente. Ella se sentirá mejor si deja de enfocarse en lo que no tiene y piensa en las cosas que le brindan alegría- todas sus aventuras con sus amigos animales y el amor que ella comparte con su familia.

Cow-Cow asintió. El Señor Sabio siempre sabía qué decir aun cuando estaba gruñón.

Justo en ese momento, Charlotte y su familia caminaron por allí tomados de la mano. James se rio de algo que dijo GiGi. Charlotte señaló a las jirafas que se estaban arrastrando hacia sus corrales nocturnos.

Cow-Cow cantó adiós antes de
cerrar sus ojos por el resto de la noche.

Datos interesantes para mentes curiosas

El búho representa sabiduría, realeza, silencio, inteligencia, conocimiento, cambio y transformación.

Los búhos son animales nocturnos. Eso significa que duermen durante el día y están despiertos durante la noche.

Los camellos pueden estar semanas sin beber agua. Cuando beben, pueden consumir hasta 20 galones a la vez. El agua es guardada en su torrente sanguíneo. Las jorobas en sus espaldas son para guardar grasa, no agua.

Los chimpancés son los mamíferos que más se parecen a los humanos. Son inteligentes, curiosos, ruidosos y sociales.

Los cuervos tienen un amplio campo de visión. A diferencia de los búhos, los cuervos no pueden ver bien por la noche.

Los cuervos tienen habilidades sociales asombrosas. Pueden reconocer, responder y adaptarse a rasgos humanos específicos.

Los cuervos jóvenes son curiosos e investigativos. Les gusta manejar, picotear y esconder objetos.

Los gibones son simios, no monos. Son los simios más rápidos, pueden viajar a 34 millas por hora columpiándose de sus propios brazos.

Las grullas coronadas africanas fueron nombradas por sus distintivas plumas doradas (las cuales parecen cerdas) sobre sus cabezas negras.

Las jirafas son los mamíferos más altos en el mundo. La mayoría del tiempo están parados y no necesitan dormir mucho. Las lenguas gracias jirafas son masivas-casi de 20 pulgadas de largo y las usan para alimentarse de diferentes plantas y retoños.

Los pavos reales pueden volar, pero no pueden quedarse en el aire por mucho tiempo. Sin embargo, su enorme envergadura les permite revolotear a través de distancias bastante largas.

Los pavos reales se posan en los árboles y se juntan en grupos llamados bandadas.

Lightning Source UK Ltd.
Milton Keynes UK
UKHW050125050722
405381UK00002B/44